LEVEL3
3

333
영어

도서 구성

333 영어는 3개 레벨, 90일의 커리큘럼으로 구성되어 있습니다.
밝고 통통 튀는 조정현 선생님의 강의와 함께 학습을 진행하시면 됩니다.

Level 1

단어를 외우는 것만으로 자연스럽게 말하기는 어렵습니다. 외운 단어들이 어떤 상황에서 어떤 뉘앙스로 사용되는지를 정확히 알아야 비로소 말이 술술 나오게 됩니다. Level 1에서는 내가 아는 단어로 쉽게 말할 수 있는 문장들로 구성하여, 실생활에서 바로 사용할 수 있는 영어 회화 능력을 키울 수 있습니다.

Level 2

다 아는 단어인데 뜻이 전혀 다른 관용적 표현들이 있습니다. 이런 표현들만 잘 사용해도, 수준 높은 영어 회화가 가능합니다. Level 2는 다양한 관용적 표현을 활용해 쉽게 영어 수준을 높일 수 있는 문장들로 구성되어 있습니다.

Level 3

Level 3에서 소개하는 문장 30개만 잘 사용해도 영어 회화는 문제없습니다. 문장을 통째로 외우기는 쉽지 않지만, 외워야 할 때는 외워야 하죠. 효율적으로 외우면 부담도 훨씬 덜할 텐데요. Level 3는 사용 빈도가 높은 가성비 좋은 문장들을 선정하여, 영어 회화를 충분히 구사할 수 있도록 구성되어 있습니다.

목차

학습 방법

하루 3번, 각각의 다른 3가지 단계로 학습할 수 있도록 구성되어 있습니다.

☀ 아침

1. 오늘의 상황을 그림으로 이해하고, 오늘의 표현을 우리말로 먼저 확인합니다.

2. 나라면 이 상황에서 어떻게 영어로 말할 수 있을지, 내가 아는 영어로 나만의 문장을 적어 봅니다.

3. 오늘의 대화를 통해 오늘 배울 표현이 어떻게 쓰였는지 대화 속 영어 문장을 통해 확인합니다.
   QR코드를 통해 원어민의 음성을 듣고, 발음과 억양도 꼭 확인하세요.

4. 대화 속 상황을 잘 이해하였는지, 문제를 풀어보면서 확인합니다.

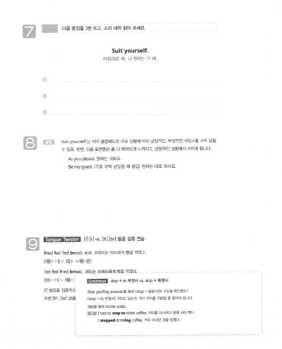

5 오늘의 필수 어휘 및 표현을 확인해 보세요.

debate : 논의 / 논의하다, 곰곰이 생각하다
under the weather : 몸이 좀 안 좋은
sort of : 어느 정도
awkward situation : 난처한 상황, 곤란한 입장
suit : 정장 / 맞다, 어울리다

6 필수 어휘와 표현을 이용하여, 우리말에 맞게 영어 문장을 완성해 보세요.

01. I'm
난 아직 고민중이야.

02. Are you   the   ?
컨디션 안좋아?

03. I'm in an   with him.
난 그와 좀 어색한 상황이야.

7 다음 문장을 3번 쓰고, 소리 내어 읽어 보세요.

Suit yourself.
마음대로 해, 너 원하는 거 해.

①
②
③

8 Suit yourself.는 이미 설명해드린 대로 상황에 따라 긍정적인, 부정적인 뉘앙스를 모두 담을 수 있죠. 반면, 다음 표현들은 좀 더 예의있게 느껴지고, 긍정적인 상황에서 쓰이게 합니다.
· As you please. 원하는 〈대로요.
· Be my guest. (주로 부탁 받았을 때 응답) 원하는 대로 하세요.

9 Tongue Twister [f] [r] vs. [r] [br] 발음 집중 연습

Fred fed Ted bread, and 프레드는 테드에게 빵을 먹였고,
[f]헤ㄷ ㅣ붸ㄷ 테ㄷ ㅂ붸-덴]

Ted fed Fred bread. 테드는 프레드에게 빵을 먹였다.
[테ㄷ ㅣ붸ㄷ f웨ㄷ ㅂ붸-덴]

[f] 발음을 집중적으로
또한 [fr], [br] 발음

Grammar stop + to 부정사 vs. stop + 동명사

Stop goofing around.를 통해 [stop + 동명사]의 구조를 확인했죠?
[stop + to 부정사] 구조도 있는데, 이 둘의 차이를 구분할 줄 알아야 합니다.
예문을 통해 비교해 보세요.
에시) I had to **stop to** drink coffee. 커피를 마시려고 잠시 서야 했다.
I **stopped** drinking coffee. 커피 마시던 것을 멈췄다.

⑤ 대화에서 등장한 필수 어휘와 표현을 확인해 보세요. 문장에서 쓰인 표현을 우리말로 확인해봅니다.

⑥ 필수 어휘와 표현을 잘 이해하였는지, 문제를 통해 정확한 사용법을 익힙니다. 수, 시제, 인칭 등의 변화에 주의하면서 문제를 풀어봅니다.

⑦ 오늘의 문장은 꼭 소리내서 읽고, 3번 써보세요. 눈으로, 손으로, 입으로 익히는 시간이 됩니다.

⑧ 알아두면 좋은 꿀팁을 정리하였습니다. 아~ 이런 표현도 있구나! 하고 확인해두면 좋을 것 같아요.

⑨ 차시를 마무리하며, 영어 발음에 도움이 되는 Tongue Twister 혹은 문법을 간단하고 쉽게 이해할 수 있도록 Grammar 등 다양한 코너를 준비하였습니다. 유용한 정보를 확인하며 학습을 마무리해 보세요.

학습 캘린더

학습을 마친후, 학습 결과를 표시해보세요. 복습이 필요한 곳을 잊지 말고
복습을 진행해 주세요.

10 Days
Study
Calender

년   월   일

· 아침 학습
· 점심 학습
· 저녁 학습

영어 문장 _____

우리말 뜻 _____

년   월   일

· 아침 학습
· 점심 학습
· 저녁 학습

영어 문장 _____

우리말 뜻 _____

년   월   일

· 아침 학습
· 점심 학습
· 저녁 학습

영어 문장 _____

우리말 뜻 _____

년   월   일

· 아침 학습
· 점심 학습
· 저녁 학습

영어 문장 _____

우리말 뜻 _____

년   월   일

· 아침 학습
· 점심 학습
· 저녁 학습

영어 문장 _____

우리말 뜻 _____

<table>
<tr>
<td>

년　월　일

· 아침 학습

· 점심 학습

· 저녁 학습

영어 문장 _____

우리말 뜻 _____

</td>
<td>

년　월　일

· 아침 학습

· 점심 학습

· 저녁 학습

영어 문장 _____

우리말 뜻 _____

</td>
</tr>
<tr>
<td>

년　월　일

· 아침 학습

· 점심 학습

· 저녁 학습

영어 문장 _____

우리말 뜻 _____

</td>
<td>

년　월　일

· 아침 학습

· 점심 학습

· 저녁 학습

영어 문장 _____

우리말 뜻 _____

</td>
</tr>
</table>

년　월　일

· 아침 학습

· 점심 학습

· 저녁 학습

영어 문장 _____

우리말 뜻 _____

 웃는 얼굴 : 확실히 알아요.

 보통 얼굴 : 어느 정도 이해했어요.

 찡그린 얼굴 : 복습이 필요해요.

밥 배 따로, 디저트 배 따로인 분들 계시죠?
달달, 상큼한 디저트류는 참기 힘들긴 합니다. 아무리 배가 불러도, "디저트 배는 따로 있다."는 말을 종종 하게 되는데요,
영어로는 어떻게 표현할 수 있을까요?

오늘의 문장을 어떻게 말할지, 나만의 영어로 먼저 적어보세요.

If it were me, I would say :

대화

A   Welcome to our restaurant. Would you like to order now?

B   Yes, thank you. I'm looking at the menu.
    Umm, I'll have the grilled salmon, please.

A   Excellent choice. And for you, sir?

C   I'll have the sirloin steak, medium-rare, please. Is it a big portion?

A   Yep. It serves for 2. And would you like to see the dessert menu?

B   Sure, I think I have room for dessert.

C   Likewise. How about a piece of lemon cake?

01. A의 직업은 무엇일까요?

   ① waiter

   ② cashier

   ③ salesperson

02. 대화를 통해 알 수 있는 내용을 모두 고르세요.

   ① B는 디저트를 먹지 않을 것이다.

   ② C는 약간 덜 익힌 스테이크를 좋아한다.

   ③ C는 레몬 케이크를 디저트로 먹고 싶어한다.

03. C가 말한 Is it a big portion?의 의미는 무엇일까요?

   ① C was asking the amount of food.

   ② C measured the size of food.

   ③ C ordered two of the same food.

- grilled : 구운, 그을은
- salmon : 연어
- sirloin : (소의) 등심, 채끝
- portion : 부분, 1인분, 분배
- room : 공간, 방

01. I'll have the _____, please.

　　저는 연어 구이(구운 연어)로 주세요.

02. I'll have the _____.

　　저는 등심 스테이크로 할게요.

03. Is it a big _____?

　　양이 많이 나오나요?

I have room for dessert.

디저트 배 따로 있지.

① _____

② _____

③ _____

꿀팁! There is always room for dessert. 디저트 배 따로 있지.

이번에도 room이 등장했죠.

디저트를 위한 "공간, 자리, 여지"가 늘 있다는 뜻과도 같습니다.

좀 더 구체적으로 표현이 가능해요.

- There is always room for cake. 케이크 배 따로 있지.

Useful Expressions 디저트를 이용한 표현

* piece of cake 식은 죽 먹기
* sweet tooth 단 것을 좋아하는 것

* icing on the cake 금상첨화
* to eat humble pie 굴욕을 맛보다

지난번에 음치에 대한 표현은 소개해 드렸죠? (*Level 3 2권 17. 그는 음치야.)

이번엔 "길치"라는 말을 영어로 어떻게 말하는지 알아볼게요.

길이나 방향을 잘 못 찾는 사람들 보고 "길치"라고 묘사하는데, 영어 표현은 어떻게 될까요?

> **오늘의 문장을 어떻게 말할지, 나만의 영어로 먼저 적어보세요.**

If it were me, I would say :

다음 두 사람의 대화를 듣고, 어떤 상황인지 문제를 풀며 추측해 보세요.

대화

A Excuse me, could you tell me how to get to this coffee shop?

B Hmm, I heard about this new coffee shop but I'm not sure.

A Oh, no worries. I can look it up on my phone.

B Actually, I live in this town but I'm bad at directions. I'm sorry for not being able to help you.

A No problem. I just moved here a few days ago.

B Oh, you did? We can see each other from time to time.

01. A와 B의 대화 장소로 가능성이 가장 큰 곳은 어디일까요?

① café

② neighborhood

③ cellphone shop

02. 대화를 통해 알 수 있는 내용을 고르세요.

① B는 A가 찾는 곳을 잘 안다.

② A와 B는 동네 주민이다.

③ A는 휴대폰을 분실했다.

03. A가 말한 I can look it up on my phone.의 의미는 무엇일까요?

① 휴대폰을 보여 드릴게요.

② 휴대폰을 찾을 수 있을 거예요.

③ 휴대폰으로 찾아볼 수 있어요.

- get to : ～에 도착하다
- no worries : 괜찮아요
- look something up : ～을 찾아보다
- be bad at : ～을 잘 못하다
- direction : 방향

01. Could you tell me how to _____ _____ this place?

이 장소로 가는 방법 좀 알려주시겠어요?

02. No _____ . I can _____ it _____ on my phone.

괜찮아요. 제 휴대폰으로 찾을 수 있어요.

03. I'm _____ _____ directions.

제가 길치에요.

I'm bad at directions.

길치야.

① _____

② _____

③ _____

꿀팁! I'm bad at directions.뿐 아니라 I'm bad with directions.라고도 합니다.
at / with로 인한 차이점은 무엇일까요?

- bad at : 어떤 행동이나 언어, 논리가 오는 경우가 많으며,
  그런 행동이나 논리를 잘 모른다는 의미
  예 He is **bad at** playing the piano. 그는 피아노 연주에 능숙하지 않다.
- bad with : 단순한 명사형이 오고, 그 명사를 잘 못한다는 의미
  예 She is **bad with** children. 그녀는 아이들과 잘 지내지 못한다.

Useful Expressions be bad at ～을 잘 못하다

be bad at을 활용한 문장들을 좀 더 연습해 보세요.
* I'**m bad at** snowboarding. 나는 스노보드를 잘 못 타.
* I'**m bad at** writing. 나는 글쓰기를 잘 못해.
* I'**m bad at** Math. 나는 수학을 잘 못해.

월   일   요일

이런 상황은 좀 불편할 때가 있죠.

음식을 편식하는 사람이 주변에 있다면, 또는 까탈스러운 사람이 있다면, "편식 하지 마.",

"까탈스럽게 좀 굴지마."라는 말을 해 주고 싶겠죠?

그 말은 영어로 어떻게 할지 알아볼게요.

오늘의 문장을 어떻게 말할지, 나만의 영어로 먼저 적어보세요.

If it were me, I would say :

대화

A   I'm not in the mood for sushi tonight.

B   But you said you were craving sushi. I know a really nice restaurant.

A   But I want to have pasta now. Ah, wait. Should we just go to a Chinese restaurant?

B   Hey, don't be picky. I had my heart set on sushi. How about looking for an all-you-can-eat restaurant?

A   Like a buffet? It sounds like food heaven.

B   Right, then, let's give it a shot, okay?

01. B는 무엇이 먹고 싶은가요?

① Sushi

② Noodle

③ Gimbap

02. 대화를 통해 알 수 있는 내용을 고르세요.

① A는 변덕을 부렸다.

② B는 평소에 뷔페를 좋아한다.

③ A와 B는 중식당에 갈 것이다.

03. B가 I know a really nice restaurant.라고 말한 의도가 무엇일까요?

① 파스타로 유명한 식당 알아.

② 그냥 스시 먹으러 가자.

③ 중식당을 알고 있어.

- mood : 기분, 분위기
- crave : 갈망하다, 당기다
- picky : 까다로운
- all-you-can-eat : 뷔페식의, 무제한의
- buffet : 뷔페

필수 어휘와 표현을 이용하여, 우리말에 맞게 영어 문장을 완성해 보세요.

01. I'm not in the _____ sushi.

스시 별로 안 당긴다.

02. I _____ Thai noodle.

태국 쌀국수가 당긴다.

03. How about looking for an _____ restaurant?

무한리필 식당을 찾아보는 게 어떨까?

Don't be picky.

편식 좀 하지마. 까탈스럽게 좀 굴지마.

① _____

② _____

③ _____

꿀팁! pick은 "고르다", "선택하다" 라는 뜻이죠.

picky는 "까다로운", "별스러운"이라는 뜻이에요.

Don't be picky. 결국, "까다롭게 굴지 마.", "편식하지 마."라는 의미로 쓰이는 것이죠.

편식하지 말고 골고루 먹으라고 조언해볼까요?

- Don't be picky and eat balanced meals. 편식하지 말고 골고루 먹어.

Useful Expressions I'm in the mood for ～할 기분이야

I'm not in the mood for Sushi tonight. 첫 문장에서 본 I'm in the mood for～를 좀 더 활용해 볼까요?

* **I'm in the mood for** brunch. 브런치 먹고 싶다.

* **I'm in the mood for** something new. 뭔가 새로운 걸 하고 싶다.

* **I'm** not **in the mood for** it. 그럴 기분이 아니야.

* **I'm** not **in the mood for** jokes. 농담할 기분 아니야.

월 일 요일

인생을 종종 바다에 비유하기도 하죠.
평온할 때도 있고, 풍파로 인해 위기가 올 때도 있는 걸 텐데, 잘 버티면서 극복하면
어느새 그 위기도 지나갔다는 것을 깨닫게 되기도 합니다.
"이 또한 지나가리라." 이 말이 와닿는데요, 영어로는 어떻게 말할 수 있을까요?

오늘의 문장을 어떻게 말할지, 나만의 영어로 먼저 적어보세요.

If it were me, I would say :

대화

A   I feel blue. I can't believe I failed the exam.

B   You've worked so hard on it. It's a bummer.

A   That's true.. I wonder why I get bad results whenever I take an exam?

B   I know it feels terrible right now, but, remember, this too shall pass.

A   I hope so. I know this moment is just a small part of my life.

B   You're right. You'll overcome this soon.

A   Thanks for reminding me of that.

---

01. A의 기분을 나타내는 말을 고르세요.

    ① pleasant

    ② depressed

    ③ horrible

02. 대화를 통해 알 수 있는 내용을 고르세요.

    ① A는 이번에 처음으로 시험에서 떨어졌다.

    ② B도 이번에 시험에서 떨어졌다.

    ③ A는 시험 준비를 열심히 했다.

03. B가 It's a bummer.라고 한 뜻은 무엇일까요?

    ① 아쉽다.

    ② 그렇게 잘 하지.

    ③ 너에게 실망이야.

· bummer : 실망
· wonder : 궁금하다
· shall : ～일 것이다
· moment : 잠깐, 순간, 시기
· overcome : 극복하다

필수 어휘와 표현을 이용하여, 우리말에 맞게 영어 문장을 완성해 보세요.

01. It's a _____ .

아쉽다.

02. I _____ why I get bad _____ .

내가 왜 안 좋은 결과를 얻는지가 궁금해.

03. This _____ is just a small _____ of my life.

이 순간은 단지 내 인생의 작은 부분일 뿐이야.

This too shall pass.

이 또한 지나가리라.

① _____

② _____

③ _____

꿀팁! shall이라는 조동사는 Shall we dance?라는 영화로 인해 익숙해진 분들도 많으시죠.
이때는 미래적 표현이라기 보단, 상대방에게 제안을 하는 표현입니다.
결정권을 상대방에게 주는 의미도 담겨 있고요.

또한 This too shall pass.에서 shall의 경우는, 미래적 표현입니다.
참고로, 미래적 용법으로는 현대 영어에서는 will이 더 선호되고 있죠.
그래서 This too shall pass.처럼 명언을 제외하고는 자주 보이진 않는 거라는 게!

Useful Expressions shall ～할까?

shall이 쓰이는 문장들 추가 연습 들어갑니다.
* **Shall** we go? 우리 갈까?
* **Shall** we get started ? 우리 시작할까?
* **Shall** we discuss this further? 이걸 더 논의해볼까?
* **Shall** we meet tomorrow? 내일 만날까?

월   일   요일

일정을 깜박하고 있었는데 다른 누군가가 알려줬을 때, 또는 자동차 문을 잠그는 걸 깜박하고 잊어버렸을 때,
준비물을 깜박하고 안 챙겨왔을 때 등의 상황에서 "어머, 내 정신 좀 봐."라고 말 할 때가 있어요.
영어 표현으로도 알아두면 좋겠죠?

오늘의 문장을 어떻게 말할지, 나만의 영어로 먼저 적어보세요.

If it were me, I would say :

대화

A Make sure to take all your belongings.

B Oops! Where's my head? I left my coat in the closet.

A Seriously? Oh, no. We have to hurry to catch the tour bus.

B That coat is expensive.

A I know. Let's rush back and grab it before it's too late.

B Thanks. I'll make sure to double-check everything from now on.

A Oh, isn't that your coat? I see the host coming with it.

01. B는 코트를 어디에 두고 왔나요?

① bus

② plane

③ closet

02. 대화를 통해 알 수 있는 내용을 고르세요.

① A와 B는 버스에 타 있다.

② 숙소 주인이 코트를 가져오고 있다.

③ B는 코트를 포기하고 가려고 한다.

03. A와 B의 다음 일정은 무엇일까요?

① 준비물 확인하기

② 박물관 투어하기

③ 관광버스 탑승하기

- belongings : 소유물, 소지품
- closet : 옷장, 벽장
- hurry : 서두르다
- rush back : 서둘러 돌아가다
- host : 주인

필수 어휘와 표현을 이용하여, 우리말에 맞게 영어 문장을 완성해 보세요.

01. Make _____ to take all your _____.

소지품 확실히 챙겨.

02. We have to _____ to _____ the tour bus.

투어 버스를 타려면 서둘러야 해.

03. Let's _____ _____ and grab it before it's too late.

너무 늦기 전에 서둘러 돌아가서 가져오자.

Oops! Where's my head?

어머, 내 정신 좀 봐.

① _____

② _____

③ _____

꿀팁! Where's my head? "내 머리가 어디 있지?"가 아닌, "내 정신 좀 봐."라는 뜻입니다.
또 다른 좋은 문장도 소개해 드릴게요. slip은 "미끄러지다"의 의미이니까 머리속에서
미끄러져 나갔다는 거예요.

　• It slipped my mind. 완전 깜빡했다.

Comparison of Words　belonging vs. belongings

−s의 유무에 따라 의미가 달라지는 단어입니다. 아래 예문을 통해 비교해 두세요.

* belonging : 소속감

　예　I feel a sense of <u>belonging</u> when I am with you. 너랑 함께 있으면 소속감을 느껴.

* belongings : 소지품

　예　Do you have all your <u>belongings</u>? 소지품 다 챙겼니?

월   일   요일

길 좀 터달라는 말로, "조금만 비켜주시겠어요?"라는 말을 할 때가 많습니다.
물론, 더 간단히 "잠시만요."라고도 말할 수 있겠지만, 좀 더 예의를 갖춰서 부탁하는 표현으로 알아두면
유용하겠죠?
영어로는 어떻게 표현하는지 같이 알아볼까요?

오늘의 문장을 어떻게 말할지, 나만의 영어로 먼저 적어보세요.

If it were me, I would say :

대화

A   Would you please excuse me?

B   Of course. Oh, do you need any help?

A   I need to get some books from the shelf behind you.

B   Oh, go ahead.

A   Oops! I can't reach the top.

B   I have a small ladder here. Do you want me to do it for you?

A   Sure thing. Thanks a lot.

B   Step aside, please.

01.   A는 무엇이 필요한가요?

    ① 책

    ② 선반

    ③ 사다리

02.   대화를 통해 알 수 있는 내용을 고르세요.

    ① B는 A를 도와주려고 한다.

    ② A는 사다리를 가져왔다.

    ③ A는 B의 등을 밟고 올라갈 것이다.

03.   B가 말한 Do you want me to do it for you?를 적절히 해석한 것을 고르세요.

    ① 저 좀 도와주시겠어요?

    ② 제가 도와드릴까요?

    ③ 도와줄 사람을 불러드릴까요?

· **excuse** : 변명, 이유 / 봐주다
· **shelf** : 책꽂이, 선반
· **reach** : ～에 이르다, 도달하다
· **ladder** : 사다리
· **aside** : 한쪽으로

필수 어휘와 표현을 이용하여, 우리말에 맞게 영어 문장을 완성해 보세요.

01. Would you _____ _____ me?

실례하겠습니다. (조금만 비켜주시겠어요?)

02. I need to get some books from the _____ _____ you.

당신 뒤에 책꽂이에서 책을 좀 꺼내려고요.

03. I can't _____ the _____.

꼭대기에 닿질 않네요.

Would you please excuse me?

조금만 비켜주시겠어요?

① _____

② _____

③ _____

꿀팁! Would you please excuse me? 외에도 유용한 표현들을 소개해 드릴게요.

 · Step aside, please. 좀 비켜주세요.

 · May I get through? 좀 지나가도 될까요?

 · May I get by? 좀 지나가도 될까요?

Tongue Twister [l] vs. [r] 발음 집중 연습

[l]과 [r] 발음을 신경써서 연습해 보세요.

Lively Lizzy loves to look for 활발한 리지는 사다리에서

[라이블리 리지 럽ㅅ 투 룩 포ㄹ]

lovely letters on ladders. 사랑스런 편지들을 찾는 것을 좋아해요.

[러블리 레럴ㅅ 온 래덜ㅅ]

월   일   요일

이번엔 인테리어를 이렇게 바꿔볼까?

오, 가구 배치만 바꿔도 비슷해지겠는데? 한번 해볼까? 밑져야 본전이지 뭐~

무언가를 새로운 일을 시작하려 할 때, 도전하려 할 때, 두려움에 주저하게 될 때도 있죠.
그 두려움으로 인해 포기하고 싶은 마음이 들기도 하지만, "밑져야 본전이다." 바로 이 정신으로 일단 먼저 시도해 보는 게 나중에 후회가 없겠죠.
영어로도 그 표현을 알아볼게요.

오늘의 문장을 어떻게 말할지, 나만의 영어로 먼저 적어보세요.

If it were me, I would say :

대화

A I'm afraid of being rejected.

B From what?

A The job I'll apply for.

B Come on, you should go for it. There's nothing to lose.

A But if I get rejected, it'll feel like a waste of time.

B Hey, there's a saying that Failure is the mother of success!

A You make a good point. I have to take risks to achieve the goals.
Thanks for the advice.

B Anytime. And if you get the job, it could be a fantastic opportunity for you.

01. A는 무엇이 필요한가요?

① purpose

② patience

③ courage

02. 대화를 통해 알 수 있는 내용을 고르세요.

① A는 취업에 성공했다.

② A는 거절당할까봐 두려워하고 있었다.

③ B는 시간은 금이라는 조언을 해줬다.

03. B가 말한 Failure is the mother of success!를 대신해서 쓸 수 있는 표현을 고르세요.

① Failure is a stepping stone to success.

② Failure is defined by our reaction to it.

③ Failure is not a big deal.

- apply for : ~에 지원하다, 신청하다
- waste : 낭비하다 / 허비, 낭비
- saying : 속담, 격언
- failure : 실패
- success : 성공, 성과

필수 어휘와 표현을 이용하여, 우리말에 맞게 영어 문장을 완성해 보세요.

01. I'll _____ _____ the job.

   난 그 직장에 지원할 거야.

02. It'll feel like a _____ of _____.

   시간 낭비처럼 느껴질 거야.

03. There's a _____ that _____ is the mother of _____.

   "실패는 성공의 어머니"라는 말이 있어.

There's nothing to lose.
밑져야 본전이다.

① _____

② _____

③ _____

꿀팁! There's nothing to lose.를 더 줄여서, Nothing to lose.라고도 합니다.

또 다른 표현을 살펴보겠습니다.

· Here goes nothing. 일단 해보자(안 될 거 같지만 해보자).

· Trying wouldn't hurt. 해봐서 나쁠 건 없지.

Useful Expression failure를 이용한 문장

특히 failure라는 단어를 명확하게 발음하는 데 집중하면서 문장을 천천히 읽어보세요.

* He learned from his **failures** and grew stronger.
  그는 실패에서 배워 더 강해졌다.

* The fear of **failure** can hold you back from reaching your full potential.
  실패에 대한 두려움이 당신의 잠재력을 발휘하는 것을 막을 수 있다.

* Success is often built on a foundation of past **failures**.
  성공은 종종 과거의 실패를 바탕으로 이루어진다.

28 소리가 끊기네요.

3·3·3

월   일   요일

전화 중에, 혹은 화상 회의 중에 종종 통신 장애로 인하여 소리나 화면이 끊기는 경우가 있죠.
그럴 때 과연 영어로는 뭐라고 말할 수 있을까요?
필수적인 표현들을 알아볼게요.

> **오늘의 문장을 어떻게 말할지, 나만의 영어로 먼저 적어보세요.**

If it were me, I would say :

대화

A Hello, can you hear me? Our connection is breaking up.

B Yeah, your voice just keeps cutting in and out.

A Oh, sorry about that. I think it's because I'm in the elevator. Now I'm getting off.

B Oh, that's much clearer.

A Great. So, what were we talking about?

B Ah, we were talking about adjusting the meeting schedule.

A Right. Let me know what day will be good for you.

01. A와 B의 통화 목적이 무엇이었나요?

① 볼륨 조절하기

② 스케줄 조정하기

③ 수리 맡기기

02. 대화를 통해 알 수 있는 내용을 고르세요.

① A는 집 앞이다.

② B의 선호하는 요일은 수요일이다.

③ A는 엘리베이터에 타고 있었다.

03. A의 마지막 말에 대한 B의 응답으로 가장 어색한 응답을 고르세요.

① I'll let you know later.

② How about Tuesday afternoon?

③ Don't you think you've gone too far?

- connection : 관련성, 연결, 접속
- break up : 부서지다, 끝나다, (전화가) 끊기다
- cut in and out : (소리 및 영상이) 나왔다가 끊겼다가 하다
- get off : 떠나다, 내리다
- adjust : 조정하다

필수 어휘와 표현을 이용하여, 우리말에 맞게 영어 문장을 완성해 보세요.

01. Your voice just keeps _____ and _____.

   당신 목소리가 들렸다가 끊겼다가 하네요.

02. I'm _____ the elevator.

   저는 엘리베이터에서 내리는 중이에요.

03. We were talking about _____ the meeting _____.

   우리는 회의 스케줄을 조정하는 것에 대해 이야기하던 중이었어요.

Our connection is breaking up.

소리가 끊기네요.

① _____

② _____

③ _____

꿀팁! 소리가 잘 안 들릴 때는
- I can't hear you. 네 말이 안 들려.
- You keep cutting in and out. 네 목소리가 계속 들렸다 안 들렸다 해.
- The sound is breaking off. 소리가 자꾸 끊겨.

그리고 "화면이 멈췄다"는 말은 이렇게 할 수 있어요.
- It's frozen.
- The screen is frozen.

Useful Expressions break의 다양한 의미

break의 다양한 의미를 알아보고, 각 예문으로 익혀보세요.

예 The toy **broke** down. 장난감이 부서졌어요.

He **broke** up with his girlfriend. 그는 여자친구와 헤어졌어요.

They **broke** up the meeting. 그들은 회의를 끝냈다.

월   일   요일

누군가가 추천해 준 식당에서 기대 이상으로 맛있는 음식을 발견했을 때, 혹은 오랫동안 찾던 바로 그 맛을 찾아냈을 때, 정말 기분이 좋죠.
인생 맛집을 찾았을 때, 원하던 맛을 내는 음식을 맛봤을 때, "바로 이 맛이야."라고 감탄하게 되는데요.
이 표현은 영어로 어떻게 말할 수 있을지 알아볼게요.

오늘의 문장을 어떻게 말할지, 나만의 영어로 먼저 적어보세요.

If it were me, I would say :

대화

A Hey, have you been to the new café?

B Yeah, I've tried some coffee.

A What do you think of it?

B I loved it. And the latte was so good.

A Right? The coffee is rich and... rich in flavor.

B You're right. The flavor is incredible. It hits the spot.

A You're telling me. Let's go there and get some coffee together.

01. A와 B는 무엇에 대해 대화를 나누고 있나요?

① A new coffee shop

② A new brand

③ A new hobby

02. 대화를 통해 알 수 있는 내용을 고르세요.

① A와 B는 커피를 좋아한다.

② A는 라떼를 좋아한다.

③ A는 아침에 이미 커피를 마셨다.

03. A가 말한 The coffee is rich and … rich in flavor.에서 rich의 뜻을 고르세요.

① Having a lot of money

② Very expensive

③ Having a deep and large amount of flavor

- think of : ～을 고려하다, 생각하다, 평가하다
- love it : 멋지다, 참 좋다
- rich : 부유한, 풍부한
- incredible : 놀라운
- spot : 점, 반점

필수 어휘와 표현을 이용하여, 우리말에 맞게 영어 문장을 완성해 보세요.

01. What do you _____ _____ it?

   그곳에 대해 어떻게 생각해?

02. The coffee is _____ and ... _____ in _____ .

   커피가 깊고, 향이 풍부해.

03. The _____ is _____ .

   그 향이 정말 좋아.

It hits the spot.
바로 이 맛이야.

① _____

② _____

③ _____

꿀팁! "맛있다"는 표현을 떠올리면 아무래도 It's delicious.를 가장 먼저 떠올리죠?
그 외에 원어민들이 자주 쓰는 쉽고 유용한 표현들을 소개해 드릴게요.

- Hit the spot. ("정곡을 찌르다."는 의미로도 사용)
- This is it!
- It's so good!

Tongue Twister rich 발음 집중 훈련

rich 발음에 주의를 기울여 연습해 보세요.
The **rich**, ripe cherries rolled 풍성하고, 잘 익은 체리들이
[더 **뤼치** 롸잎 췌리ㅈ 롤ㄷ]

rapidly down the rocky ravine. 바위 골짜기 밑으로 빠르게 굴러 떨어졌다.
[뤠피를리 다운 더 롸키 뤄빈]

월 일 요일

응원합니다. ♥

고생하셨습니다. ♥

지금 이 순간 제가 드리고 싶은 말씀입니다.

차근차근 3-3-3 영어를 단계별로 올라오셨어요. 확실히 처음보다 영어에 익숙해진 느낌이 드시죠?

또한 생활 속에서 빈번히 일어나는 주제를 가지고 다룬 내용이기 때문에, 감정을 이입하고 몰입해서

연습하는데 도움이 되셨을 거예요. 이 기분, 이 감각 쭉 이어가시면 됩니다.

"고생하셨어요." 토닥이는 표현 함께 알아볼까요?

오늘의 문장을 어떻게 말할지, 나만의 영어로 먼저 적어보세요.

If it were me, I would say :

대화

A   I can't believe I'm finally here. It's an overwhelming moment.

B   You've been working so hard for this moment.

A   That's right, Laura.

B   I believe your perseverance has brought you here.

A   Thank you for saying that. I've put in much effort to achieve this.

B   Absolutely. You've come a long way. You should be proud of yourself.

A   I couldn't have done it without you. I appreciate your support.

01. A의 감정 상태를 나타낸 단어를 고르세요.

① disappointed

② frustrated

③ fulfilled

02. 대화를 통해 알 수 없는 내용을 고르세요.

① A는 그동안 열심히 노력을 기울였다.

② B는 A를 꾸준히 응원했다.

③ B에겐 참을성이 부족했다.

03. A가 말한 It's an overwhelming moment.의 뜻을 고르세요.

① 가슴 벅찬 순간이다.

② 긴장되는 순간이다.

③ 부끄러운 순간이다.

- overwhelming : 압도적인, 엄청난
- perseverance : 인내심
- put in effort : 노력을 쏟아붓다
- be proud of : 자랑스러워하다
- appreciate : 인정하다, 고마워하다, 인식하다

필수 어휘와 표현을 이용하여, 우리말에 맞게 영어 문장을 완성해 보세요.

01. It's an _____ _____.

감격스러운 순간이야.

02. I've _____ in much _____ to achieve this.

이것에 많은 노력을 쏟아 부었어.

03. I _____ your support.

난 네 응원에 진심으로 고마워.

You've come a long way.

고생하셨어요.

① _____

② _____

③ _____

꿀팁! 만족스러울 때나 감격스러울 때 쓸 수 있는 표현들을 추가로 알아볼게요.

- I feel fulfilled. 뿌듯해요.
- I feel so happy. 정말 행복해요.
- This is the best day of my life. 인생 최고의 날이예요.

Useful Expressions 감사의 표현

감사 인사로 소개된 문장 중에 I appreciate your support.가 있었죠?

이처럼 appreciate는 간단한 thanks 보다 더 정중하고 진심 어린 감사 표현으로 받아들여집니다.

I appreciate it[that].으로도 말할 때가 많죠.

그 외에 I'm really thankful for ~., I'm so grateful for ~. 구문을 활용하기도 해요.

반복해서 연습해 보세요.

그리고 정말로, You've come a long way! See you again! – Laura –

SIX

SIX without 'S' is 9.

S 없는 SIX는 9.

정답 / 해설

21 디저트 배 따로 있지.

대화

A : 우리 식당에 오신 것을 환영합니다. 주문하시겠어요?

B : 네, 감사합니다. 메뉴를 보고 있어요. 음, 연어구이로 할게요.

A : 좋은 선택이네요. 손님은요?

C : 저는 등심 스테이크, 미디엄 레어로 주세요. 양이 많은가요?

A : 네, 두 명분 정도예요. 디저트 메뉴도 보실래요?

B : 네, 디저트 배는 따로 있을 것 같아요.

C : 저도요. 레몬 케이크 한 조각 어때요?

01 첫 문장부터 A는 waiter라는 걸 알 수 있다.

02 B는 I have room for dessert.라고 했으니 디저트 배가 따로 있다는 말이다. C는 I'll have the sirloin steak, medium-rare. 굽기의 정도는 미디엄 레어이므로 덜 익힌 스테이크를 좋아한다. 마지막에 How about a piece of lemon cake?라고 물었으므로 레몬 케이크를 먹자고 권하고 있다.

03 양이 많이 나오는 질문이다.

정답 **p9** 01 ① 02 ②, ③ 03 ①

p10 01 grilled salmon 02 sirloin steak 03 portion

22 길치야.

대화

A : 실례합니다. 이 커피숍 가는 길을 알려주실 수 있나요?

B : 음, 이 새로운 커피숍에 대해 들었는데 잘 모르겠어요.

A : 아, 괜찮아요. 제가 핸드폰으로 찾아볼게요.

B : 사실 저는 이 동네에 사는데 길치예요. 도움을 못 드려 죄송합니다.

A : 괜찮아요. 저도 며칠 전에 이사 왔어요.

B : 아, 그러셨군요? 가끔 만나도 좋겠네요.

01 Could you tell me how to get to this coffee shop? 이 커피숍에 가는 방법 좀 알려주세요.라고 했으니 ②일 가능성이 가장 크다.

02 B는 I heard about this new coffee shop but I'm not sure. 확실하게는 모른다고 했다. 또한 이 동네에서 살지만 길치라고 했고, A는 I just moved here a few days ago.라고 최근 이사온 것을 알 수 있다.

03 look up은 "살펴보다, 찾아보다"라는 뜻으로 문장은 "휴대폰으로 찾아보겠다"는 뜻이다.

정답 **p13** 01 ② 02 ② 03 ③

p14 01 get to 02 worries｜look｜up 03 bad at

23 편식 좀 하지 마.

대화

A : 오늘 저녁에 스시 먹기 싫어.

B : 아니 그런데 스시 먹고 싶다고 했잖아. 내가 정말 좋은 식당 알거든.

A : 그런데 지금은 파스타가 먹고 싶어. 아, 잠깐만. 그냥 중식당 갈까?

B : 야, 까다롭게 굴지 마. 나 스시로 마음 굳혔어. 무제한 뷔페 어때?

A : 뷔페? 음식 천국이네.

B : 맞아, 그럼 한번 가보자, 오케이?

01 I had my heart set on sushi.를 보아 스시를 먹고 싶어 한다.

02 A는 처음엔 스시가 먹고 싶다고 했고, 다음엔 파스타, 그리고 중식당도 가고 싶다고 했으니 변덕이 심하다.

03 You said you were craving sushi.에 이어서 I know a really nice restaurant. 정말 좋은 음식점을
알아.라고 스시 식당을 추천하는 의미이다.

정답 **p17** 01 ①   02 ①   03 ②

p18 01 mood for   02 am craving   03 all-you-can-eat

24 이 또한 지나가리라.

대화

A : 우울해. 시험에 떨어졌다는 게 믿기지 않아.

B : 정말 열심히 했잖아. 너무 아쉽다.

A : 맞아. 왜 시험만 보면 결과가 안 좋을까?

B : 지금은 정말 힘들겠지만, 이 또한 지나갈 거야.

A : 그랬으면 좋겠어. 이 순간이 내 인생의 작은 부분이라는 걸 알아.

B : 맞아. 곧 이겨낼 거야.

A : 그걸 상기시켜줘서 고마워.

01 I failed the exam. 시험 볼 때마다 결과가 안 좋다는 말도 했으니 기분이 울적할 것이다.

02 B의 시험 결과는 언급하지 않았으니 모른다. B가 You've worked so hard on it.이라고 했으니 A가 시험
준비를 매우 열심히 했다는 것을 알 수 있다.

03 열심히 준비했다는 말에 이어서 It's a bummer.라고 했으므로, 아쉽다는 의미이다.

정답 **p21** 01 ②   02 ③   03 ①

p22 01 bummer   02 wonder | results   03 moment | part

25   어머, 내 정신 좀 봐.

대화

A : 소지품 다 챙겼는지 확인해.

B : 어머! 정신이 어디 갔지? 코트를 옷장에 놔두고 왔어.

A : 진짜? 안 돼. 관광 버스를 놓치면 큰일이야.

B : 그 코트 비싼건데.

A : 알아. 늦기 전에 빨리 가서 가져오자.

B : 고마워. 이제부터는 모든 걸 두 번씩 확인할게.

A : 저기 네 코트 아니야? 주인이 가지고 오는 것 같아.

01   I left my coat in the closet.이라고 했으므로 옷장에 두고 왔다.

02   I see the host coming with it.이라고 했으니 숙소 주인이 가져오고 있다.

03   We have to hurry to catch the tour bus.라고 했으니 다음 일정은 tour bus를 타러 가야한다.

정답   **p25**   01 ③   02 ②   03 ③

p26   01 sure | belongings   02 hurry | catch   03 rush back

26   조금만 비켜주시겠어요?

대화

A : 실례합니다.

B : 물론이죠. 도움이 필요하세요?

A : 당신 뒤에 있는 선반에서 책을 꺼내야 해요.

B : 아, 그러세요.

A : 어머! 맨 위는 닿을 수가 없네요.

B : 저에게 작은 사다리가 있어요. 제가 대신 해드릴까요?

A : 그럼요. 정말 고마워요.

B : 잠시 비켜주세요.

01   I need to get some books from the shelf.를 통해 책을 필요로 하고 있다는 걸 알 수 있다.

02   B는 Do you need any help?라고 도움을 주려는 말을 했다.

03   Do you want me to do it for you? 제가 당신을 도와드릴까요?라는 말이다.

정답   **p29**   01 ①   02 ①   03 ②

p30   01 please excuse   02 shelf behind   03 reach | top

27 밑져야 본전이다.

대화

A : 거절당할까 봐 두려워.

B : 뭐 때문에?

A : 내가 지원할 직업.

B : 그냥 해봐. 잃을 게 없잖아.

A : 하지만 거절당하면 시간 낭비처럼 느껴질 거야.

B : "실패는 성공의 어머니"라는 말이 있잖아!

A : 맞는 말이야. 목표를 이루려면 위험을 감수해야지. 조언 고마워.

B : 천만에. 그 직업을 갖게 된다면 멋진 기회가 될 거야.

01 거절당할까봐 두려워하는 A에게 실패는 성공의 어머니라며 조언을 해줬고, A는 I have to take risks to achieve the goals.라며 두려움보단 위험을 감수하겠다는 용기를 갖게 되었다. A에겐 용기가 필요했다.

02 I'm afraid of being rejected. 거절당하는게 두렵다고 했다.

03 "실패는 성공의 어머니"라는 의미이므로 실패는 성공의 초석이라는 ①이 정답이다.

정답 **p33** 01 ③   02 ②   03 ①

p34 01 apply for   02 waste | time   03 saying | Failure | success

28 소리가 끊기네요.

대화

A : 여보세요, 들리세요? 연결이 끊기네요.

B : 네, 목소리가 계속 끊겨요.

A : 아, 미안해요. 제가 엘리베이터 안에 있어서 그런 것 같아요. 지금 엘리베이터에서 내리고 있어요.

B : 아, 훨씬 잘 들려요.

A : 좋아요. 그래서 뭐 얘기하고 있었죠?

B : 아, 회의 일정을 조정하는 얘기하고 있었어요.

A : 맞네요. 어느 날이 좋을지 알려주세요.

01 We were talking about adjusting the meeting schedule.이라고 했으므로 회의 일정을 조정하는 이야기를 나누고 있었다.

02 A가 I'm in the elevator.이라고 했으므로 엘레베이터를 타고 있었음을 알 수 있다.

03 Let me know what day will be good for you. 상대방에게 편한 요일을 물어봤다. 보기 중 가장 어색한 대답은 ③ Don't you think you've gone too far? 너 너무 갔다고 생각하지 않니?

정답 **p37** 01 ②   02 ③   03 ③

p38 01 cutting in | out   02 getting off   03 adjusting | schedule

29 바로 이 맛이야.

> **대화**
>
> A : 새로운 카페 가봤어?
>
> B : 응, 커피 몇 잔 마셔봤어.
>
> A : 어땠어?
>
> B : 너무 좋아. 그리고 라떼가 정말 맛있었어.
>
> A : 그렇지? 커피가 진하고… 풍미가 깊어.
>
> B : 맞아. 맛이 정말 놀라워. 딱이야.
>
> A : 그렇지? 우리 같이 가서 커피 마시자.

01 The new café의 coffee에 대해 나누는 대화이다.

02 직접적으로 언급하진 않았지만 새로 생긴 커피숍에 대해 관심이 있고, 방문해서 마셔본 경험에 대해서도 이야기하고 있으며 같이 방문하자는 제안도 있으니 A, B 둘다 커피를 좋아한다는 걸 알 수 있다.

03 맛에 대해 rich라고 한다면 "풍미가 깊다, 진하다"의 의미이다.

정답 **p41** 01 ①   02 ①   03 ③

p42 01 think of   02 deep | deep | flavor   03 flavor | incredible

30 고생하셨어요.

> **대화**
>
> A : 드디어 여기에 왔다는 게 믿기지 않아. 너무 감격스러운 순간이야.
>
> B : 이 순간을 위해 정말 열심히 노력했잖아.
>
> A : 맞아, 로라.
>
> B : 네 인내심이 널 여기에 이르게 한 것 같아.
>
> A : 그렇게 말해줘서 고마워. 이걸 이루기 위해 많은 노력을 했지.
>
> B : 맞아. 정말 수고했어. 너 스스로를 자랑스러워해야 해.
>
> A : 너 없이는 해낼 수 없었어. 응원해 줘서 정말 고마워.

01 It's an overwhelming moment. You've come a long way. You should be proud of yourself.라는 말들을 보아 만족스러운 상황이다.

02 You've been working so hard for this moment.이라고 했으므로 A가 노력을 많이 했다는 걸 알 수 있다. A가 I couldn't have done it without you.라며 그동안 B의 응원이나 조력 대한 고마움을 표현했으니 꾸준히 응원했다는 걸 알 수 있다.

03 overwhelming은 "압도적인, 엄청난"이란 뜻이며, 이어지는 상황들을 보아 가슴 벅찬 순간임을 알 수 있다.

정답 **p45** 01 ③   02 ③   03 ①

p46 01 overwhelming moment   02 put | effort   03 appreciate

MEMO

333 영어 LEVEL3_3

초판 1쇄 인쇄   2024년 11월 25일
초판 1쇄 발행   2024년 12월 9일

지은이   조정현
발행인   임충배
홍보/마케팅   양경자
편집   김인숙, 왕혜영
디자인   이경자, 김혜원
펴낸곳   도서출판 삼육오(PUB.365)
제작   (주)피앤엠123

출판신고 2014년 4월 3일
등록번호 제406-2014-000035호

경기도 파주시 산남로 183-25
TEL 031-946-3196 / FAX 050-4244-9979
홈페이지   www.pub365.co.kr
ISBN 979-11-92431-82-6(14740)
ⓒ 2024 조정현 & PUB.365